生氣王子
mini

文/圖 賴馬

車庫

小心車子出入

艾迪王子不生氣的時候，　是一隻可愛的小象。
不過……

吼ㄏㄡˇ！　　　　　　　轟ㄏㄨㄥ！

他ㄊㄚ常ㄔㄤˊ常ㄔㄤˊ生ㄕㄥ氣ㄑㄧˋ。

誰ㄕㄟˊ喝ㄏㄜ了ㄌㄜ我ㄨˇ的ㄉㄜ果ㄍㄨㄛˇ汁ㄓ？
我ㄨˇ生ㄕㄥ氣ㄑㄧˋ了ㄌㄜ！

我不小心撞到他，他就生氣了！

艾迪王子心情不好的時候會瞪著眼。

我拿錯他的書包，他就生氣了！

艾迪王子不高興的時候，會把耳朵蓋住眼睛。

我不跟他一起去玩，他就生氣了！

艾迪王子生氣的時候，會脹紅臉。

艾迪王子很生氣的時候，鼻子還會打結。

我只是跑步比他快一點，他就生氣了。

艾迪王子非常生氣的時候，還會大吼大叫。

我比你更生氣啦！

吼——

因為我生氣，他就生氣了！

今天是星期六，本來會是個很棒的一天。沒想到一大早，艾迪就變成生氣王子了！

他大吼：「我還想睡！」

國王大叫：

「快點起床！」

原來艾迪的爸爸

也很愛生氣！

呼——

番茄起司三明治、洋蔥鮪魚雞蛋捲、五穀牛奶燕麥粥、什錦蔬菜沙拉、香煎荷包蛋、紅蘿蔔鬆餅、鮮榨柳橙汁……餐桌上擺滿了各種美味營養的早餐。可是，生氣王子都不喜歡，他要吃香香甜甜的棉花糖巧克力蛋糕。

國王說：「不行！早餐得吃健康的食物，把蛋吃了！」

「我不要！」生氣王子一不高興，就用耳朵蓋住眼睛。

吃完早餐，要換衣服準備出門。生氣王子挑了一件他最喜歡的衣服，可是，國王說：「今天很冷，你得穿這件！」

「不要！我要穿這件！」生氣王子好生氣，氣得臉都脹紅了。

好不容易穿好衣服要出門了。

生氣王子想騎腳踏車去。

「我要騎車去！」

可是國王說：

「那裡太遠了，我們開車去！」

生氣王子的鼻子快打結了。

國王的鼻子也快打結了。

國王大吼：

「那不要去好了！」

哼！　哼！

可是國王想：

「好不容易才等到這一天的……」

 國王和王子不理對方。

生氣王子大叫：

「不要去就不要去！」

生氣王子也想：
「聽說那裡超好玩的……」

呃……

呃……

其實國王和王子都很想去。

時間一分一秒的過去……

生氣王子心不甘情不願的坐上了車，終於出發了。一路上，生氣王子的心情都灰撲撲的。

怎麼突然陰天了呀！

要下雨了嗎？

耶！
太棒了！

趕快去
買票！

目的地到了！
原來他們今天
要去遊樂園玩！

沒想到……

什麼？
超過時間了！

我們售票
入園只到
三點半喔。

啊！
怎麼會這樣？

謝謝光臨
歡迎再來

看著遊樂園裡旋轉章魚咻咻咻飛快的轉著、海盜船忽高忽低的擺盪著，歡樂的笑聲讓生氣王子和國王羨慕極了……

唉……

唉……

謝謝光臨！
歡迎再來！

這時，住在皇宮隔壁的老鼠一家人，正
開心的從遊樂園裡走出來，他們看到了
生氣王子和國王。

小老鼠說：「**遊樂園實
在太好玩了！**」

生氣王子垂頭喪氣的說：
「我們太晚到，已經不能
進去了。」

老鼠爸爸說：「真是太可
惜了。」

太好玩了啦！

「都是你，在家不好好吃早餐，
中途又去找東西吃！」
「你自己還不是開錯路！」
「後來你又要便便！」
「你自己還不是又睡了一覺！」
「因為你讓我太累了！」
生氣王子和國王互相抱怨，
眼看怒火一點一點的冒出來。

別吵了！

老鼠爺爺趕緊說：「生氣真的好累人，發了脾氣以後心情也不好。」

老鼠爸爸說：「我們家有一首『不生氣魔法歌』，不開心的時候可以唱一唱喔。」

好生氣，好生氣，快噴火了嗶嗶嗶。
閉上眼睛，放輕鬆，生氣按鈕關起來。
你讓一一步我一一步，快樂天使又回來。

早上起床先唱兩遍，效果很好喔！

和老鼠一家道別後， 國王和王子在回家的路上，
練習唱著「不生氣魔法歌」。
他們決定，「明天我們要再去遊樂園！ 」

明天見

回到家後， 艾迪很快的洗好澡、
吃完晚飯。 為了明天要早起，
他很快上床聽故事睡覺。

深呼吸，123，
怪怪東西看不見，
哭哭臉變笑笑臉。

隔天，艾迪很早就起床了。
他叫醒了國王，

爸爸！
起床了！

艾迪和爸爸一起唱
「不生氣魔法歌」。

好生氣，好生氣，♪
快噴火了嘛嘰嘰嘰。
閉上眼睛，放輕鬆，生氣按鈕關起來。
你讓一步我一步，
快樂天使又回來。

餐桌上。

你先把這些蛋吃完。

嗯……

好，吃完這些蛋，我要吃棉花糖巧克力蛋糕。

可以。

他們很快的吃完早餐。

接著討論穿衣服的事。

你穿這一件。

帶這一件。

好吧。

那你穿這一件。

帶這一件。

可以。

他們順利的穿好外出服。

他們還是很想坐
自己的車去。

騎這臺！　　　坐這輛！

「那麼就載著腳踏車
去遊樂園再騎。」

出發了！今天很順利。

耶！遊樂園到了！這次來得又快又早。

艾迪和國王先玩了摩天輪、天鵝船、海盜船、
嚇嚇叫自由落體、咕溜溜滑水道、鬼屋……
他們換了裝扮，又玩了歡樂旋轉木馬、
360 度旋轉章魚、星際太空船……

星際太空船

歡樂旋轉木馬

天鵝船

摩天輪

咕溜溜滑水道

魅ㄇㄟˋ屋ㄨ

旋ㄒㄩㄢˊ轉ㄓㄨㄢˇ飛ㄈㄟ機ㄐㄧ

嚇ㄒㄧㄚˋ嚇ㄒㄧㄚˋ叫ㄐㄧㄠˋ自ㄗˋ由ㄧㄡˊ落ㄌㄨㄛˋ體ㄊㄧˇ

360度ㄉㄨˋ旋ㄒㄩㄢˊ轉ㄓㄨㄢˇ章ㄓㄤ魚ㄩˊ

海ㄏㄞˇ盜ㄉㄠˋ船ㄔㄨㄢˊ

遊ㄧㄡˊ樂ㄌㄜˋ園ㄩㄢˊ實ㄕˊ在ㄗㄞˋ太ㄊㄞˋ好ㄏㄠˇ玩ㄨㄢˊ了ㄌㄜ！

「不生氣魔法歌」
很有效喔！

是啊。

耶！

要拍了。

你的腳踏車都
沒騎到耶！

是呀！
下次不帶了。

你才一直
發抖呢，
國王。

你在鬼屋嚇
得尿褲子
了，王子。

王子說：「我們下次再來玩！」

國王說：「好呀！ 我們下星期六帶皇后一起來！」

好期待。

謝謝光臨，

下次再來。

又到了星期六。

不要吵我！
我還要睡覺！
原來，皇后也很愛生氣呀！

怎ㄗㄣˇ麼ㄇㄜ˙辦ㄅㄢˋ？

兩人趕緊大聲齊唱：

好生氣，好生氣，
　　　　快冒火了嗶嗶嗶。

　　閉上眼，放輕鬆，生氣按鈕關起來。

你讓一步我一步，
　　　　快樂天使又回來。

關
於
賴
馬

1968 年生，27 歲那年出版第一本書《我變成一隻噴火龍了！》
即獲得好評，從此成專職的圖畫書創作者。
在賴馬的創作裡，每個看似幽默輕鬆的故事，其實結構嚴謹，
不但務求合情合理、還要符合邏輯，每有新作都廣受喜愛。
2014 年出版的《愛哭公主》榮獲兒童及少年圖書金鼎獎，
更於 2016 年榮獲博客來年度最暢銷作華文作家，
《生氣王子》、《勇敢小火車》、《最棒的禮物》等作品也深受國內外讀者喜愛，
創下亮眼的銷售成績，足以顯示賴馬在圖畫書世界的魅力。

● 賴馬臉書 https://www.facebook.com/laima0505
● 賴曉妍臉書 https://www.facebook.com/laihsiaoyen
● 賴馬繪本館粉絲專頁 https://www.facebook.com/laima0619